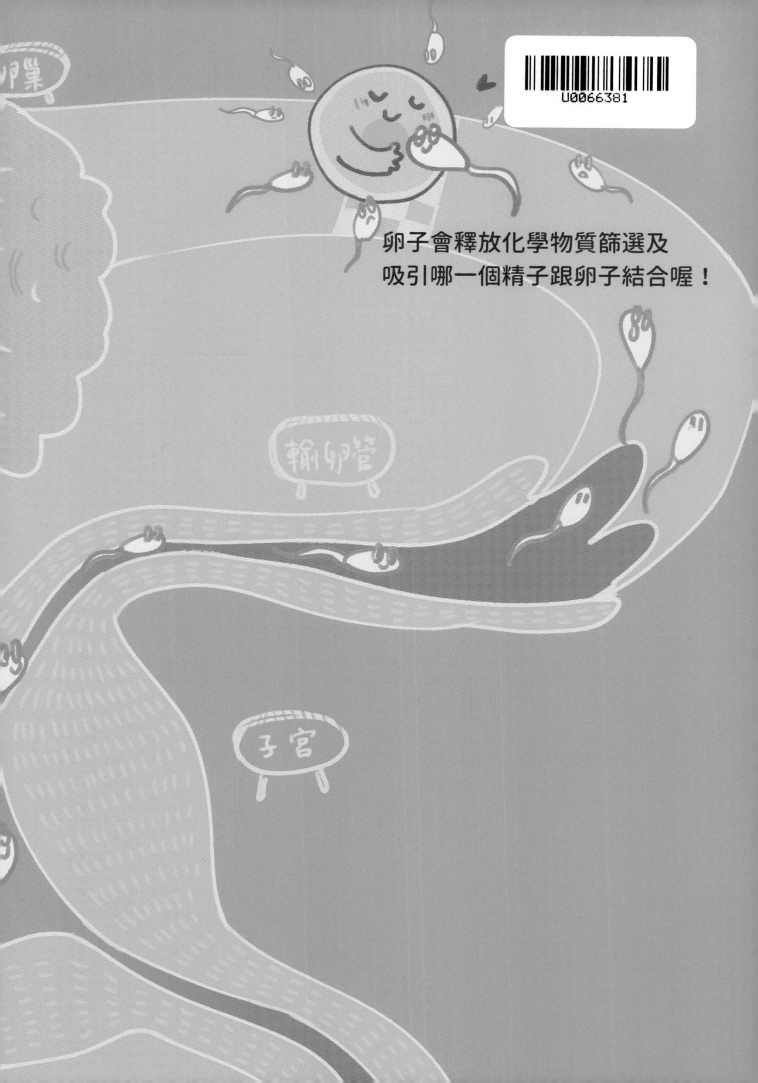

卵子會釋放化學物質篩選及
吸引哪一個精子跟卵子結合喔！

啊哈！
我也要生小寶寶！
阿光小芸日常的嘰哩呱啦 ❷

媽媽，我是怎麼從
妳肚子裡出來的？

喔！原來有胎生、
卵胎生、卵生。

會不會好痛啊！

這是個好問題,在媽媽陰部裡面有通道,叫陰道或產道,小baby會從產道擠出來。

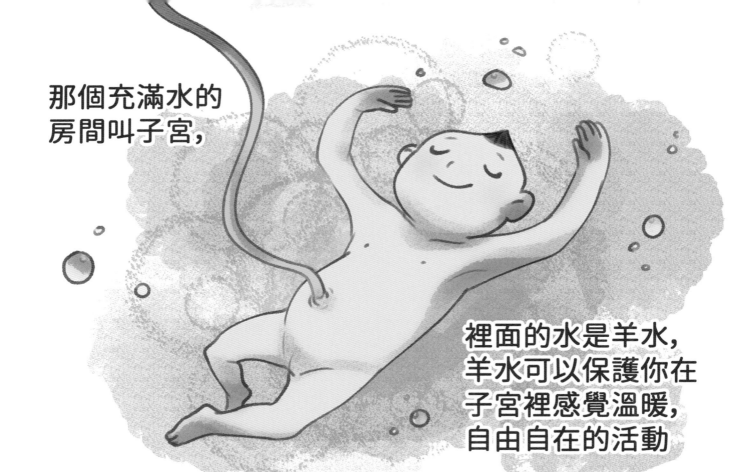

那個充滿水的
房間叫子宮，

裡面的水是羊水，
羊水可以保護你在
子宮裡感覺溫暖，
自由自在的活動

有耶，咕嚕咕嚕耶，
好好玩喔！

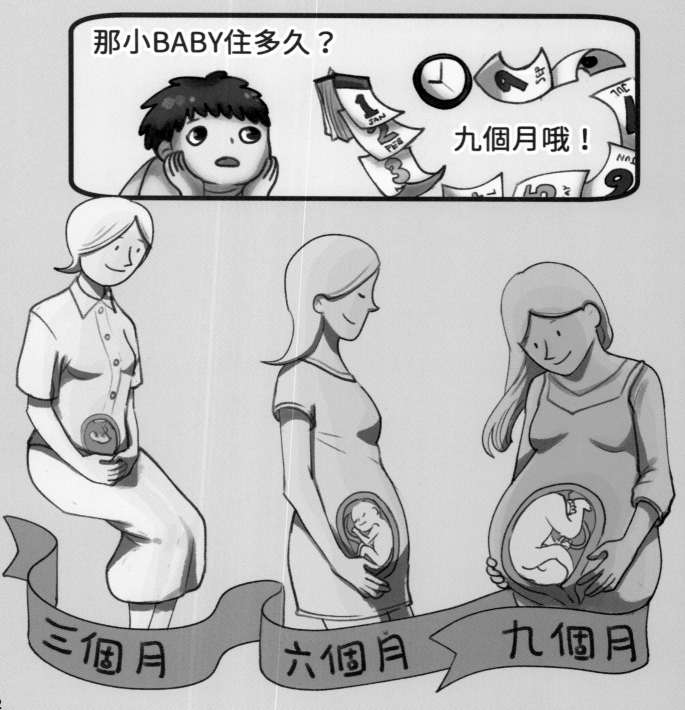

那小BABY怎麼到
媽媽肚子裡呢？

HOW

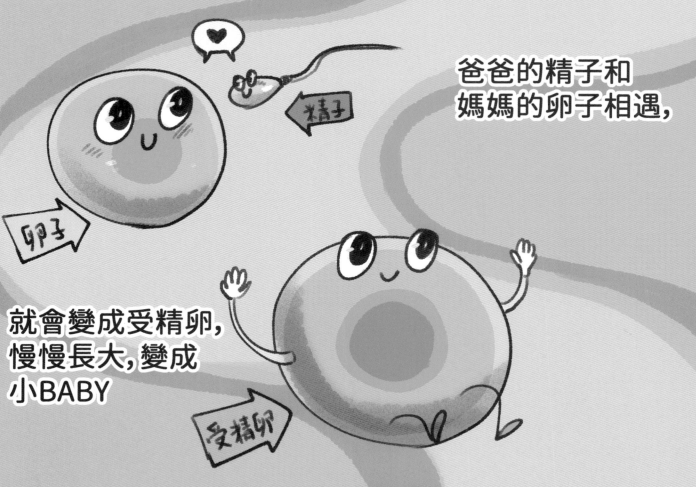

爸爸的精子和
媽媽的卵子相遇,

精子

卵子

就會變成受精卵,
慢慢長大,變成
小BABY

受精卵

OPEN!

那受精卵怎麼
進去媽媽肚子
裡的?

13

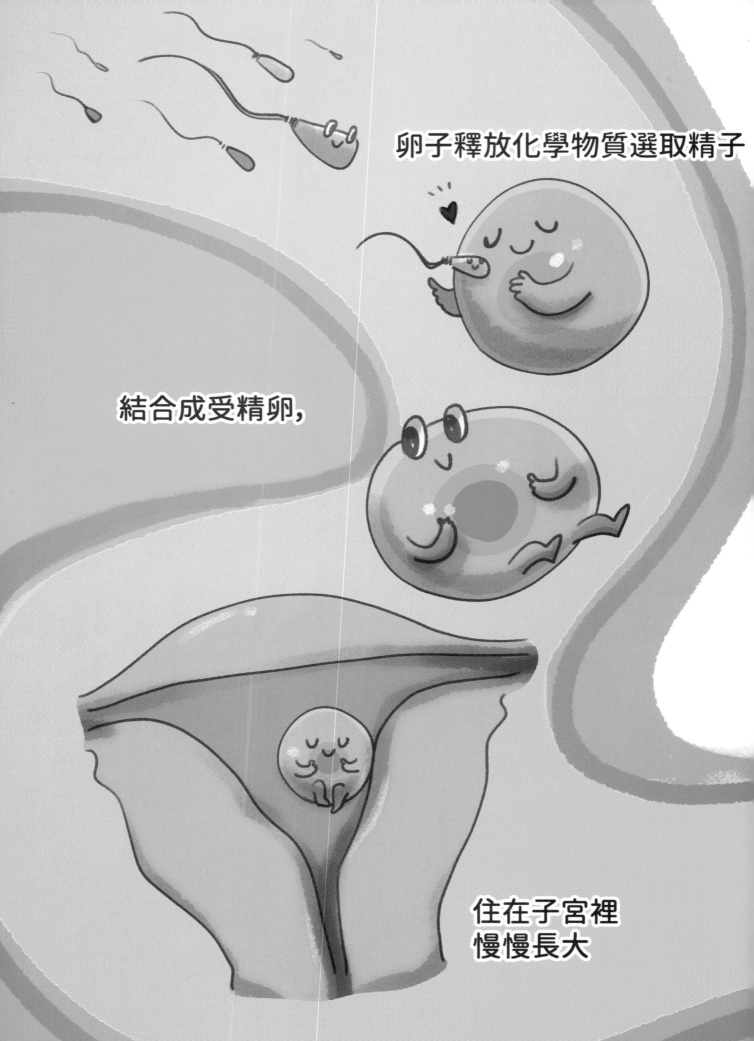

卵子釋放化學物質選取精子

結合成受精卵，

住在子宮裡
慢慢長大

14

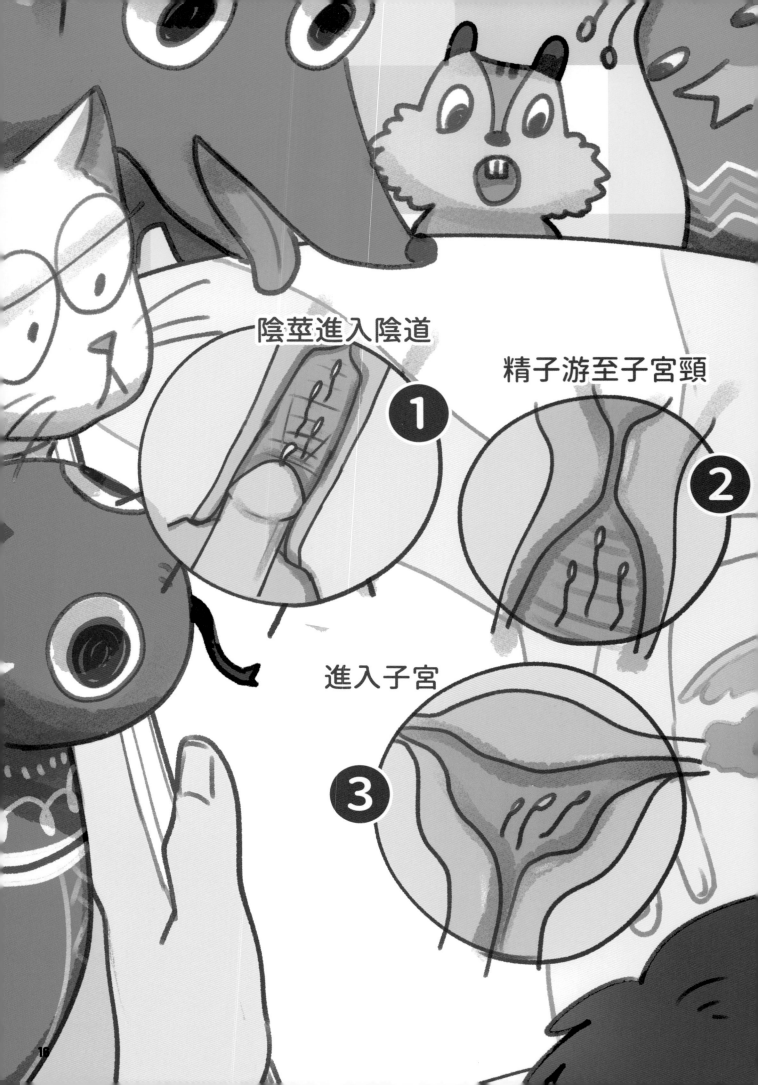

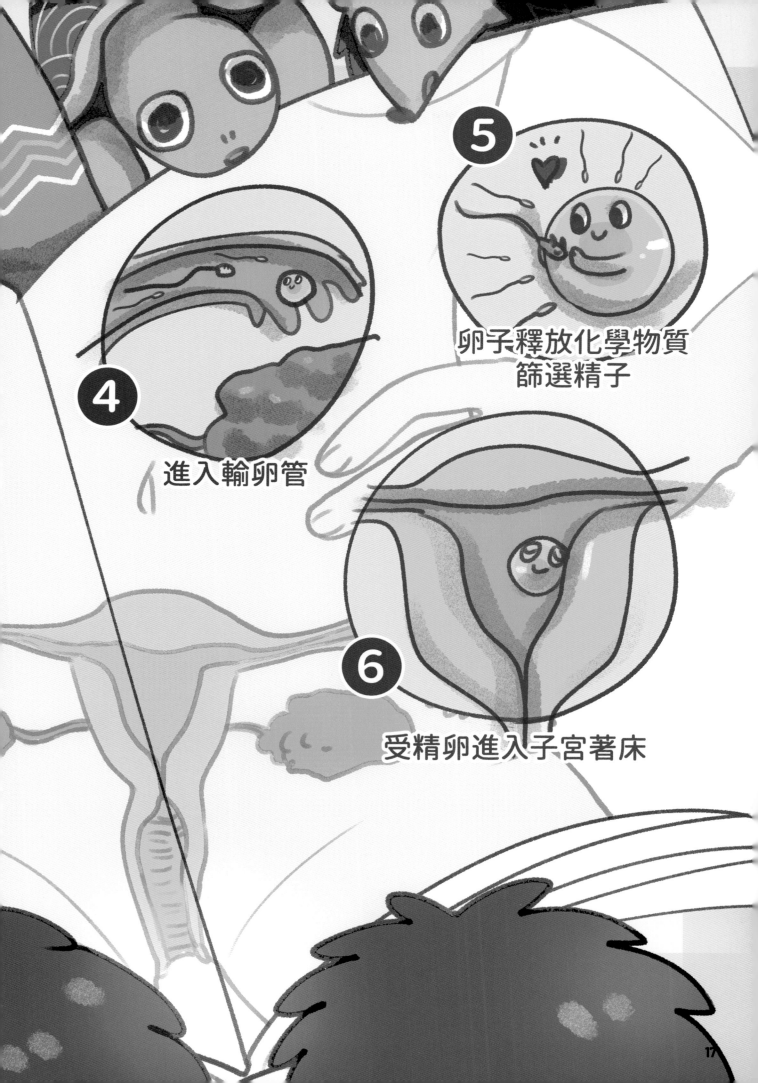

4 進入輸卵管

5 卵子釋放化學物質
篩選精子

6 受精卵進入子宮著床

我這麼美,我不要
變回一顆蛋

我變成一顆蛋了。

塞回去,好刺好刺

我是小baby,哇哇!

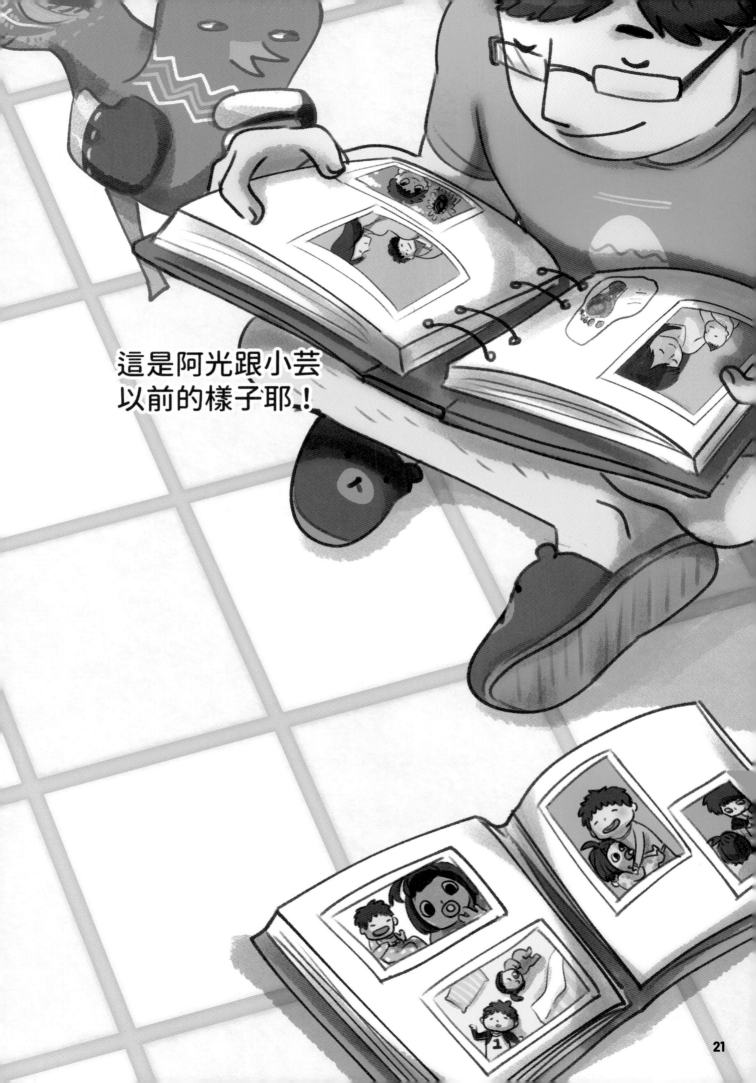

這是阿光跟小芸
以前的樣子耶！

啊哈！
我也要生
小寶寶！

荷光幼兒性教育繪本／阿光小芸日常的嘰哩呱啦❷
啊哈！我也要生小寶寶！

總策畫：呂嘉惠
　　作者：王嘉琪、陳姿曄、楊舒聿（依筆劃順序排列）
　　繪圖：享畫有限公司
美術編輯：邵信成
文字編輯：林沛辰、陳美如

　　發行人：呂嘉惠
　　出版者：荷光性諮商專業訓練中心
　　電話：02-2918-1060
　　地址：新北市新店區中華路60巷2弄3號3樓
荷光官網：http://www.beone.tw/
出版日期：2022年2月／初版二刷／2000套
　　印刷：上海印刷廠股份有限公司／02-22697921~3
　　ISBN：978-986-99512-2-7（精裝）
　　定價：390元（全套定價：1950元）

Printed in Taiwan